DISNEY
LA REINE DES NEIGES

D0279135

© 2015 Les Publications Modus Vivendi inc. pour l'édition française.
© 2015, 2014 Disney Enterprises, Inc. Tous droits réservés.

Publié pour la première fois en 2014 par Random House
sous le titre original *Anna's Best Friends*.

Publié par Presses Aventure, une division de
Les Publications Modus Vivendi inc.
55, rue Jean-Talon Ouest
Montréal (Québec) H2R 2W8
CANADA
www.groupemodus.com

Traduction : Groupe Modus
Éditeur : Marc G. Alain

Dépôt légal — Bibliothèque et Archives nationales du Québec, 2015
Dépôt légal — Bibliothèque et Archives Canada, 2015

ISBN 978-2-89751-164-7

Tous droits réservés. Aucune section de cet ouvrage ne peut être reproduite,
mémorisée dans un système central ou transmise de quelque manière que ce soit
ou par quelque procédé électronique, mécanique, de photocopie, d'enregistrement
ou autre sans l'autorisation écrite de l'éditeur.

Nous reconnaissons l'aide financière du gouvernement du Canada par l'entremise
du Fonds du livre du Canada pour nos activités d'édition.

Gouvernement du Québec — Programme de crédit d'impôt pour l'édition de livres —
Gestion SODEC

LES AMIS D'ANNA

Écrit par Christy Webster

Illustré par les artistes de Disney Storybook

Olaf est l'ami d'Anna.

C'est un drôle de
bonhomme de neige qui
rêve de températures
plus chaudes.

Le renne Sven est l'ami
de Kristoff.

Ils sont toujours
ensemble.

Ils partent en compagnie
d'Anna à l'aventure en
traîneau sur la glace.

Cours, Sven, cours !

Sauve-qui-peut !

Anna explore
la forêt enneigée.

Ses amis lui indiquent
le chemin à prendre.

Elsa, la sœur
d'Anna, fabrique
de la glace magique.

Parfois, les sœurs sont
en désaccord.

Parfois, elles s'entendent bien.

Sven est courageux.

Il tire le traîneau

plus haut.

Olaf est vaillant lui ausi.

Il prépare un feu
pour Anna.

Les aventures d'Anna
sont maintenant
terminées.

Anna et ses amis

s'amusent ensemble.

Elsa, Kristoff, Olaf et
Sven seront toujours
auprès d'elle.

En fait, ils seront toujours
ses meilleurs amis !